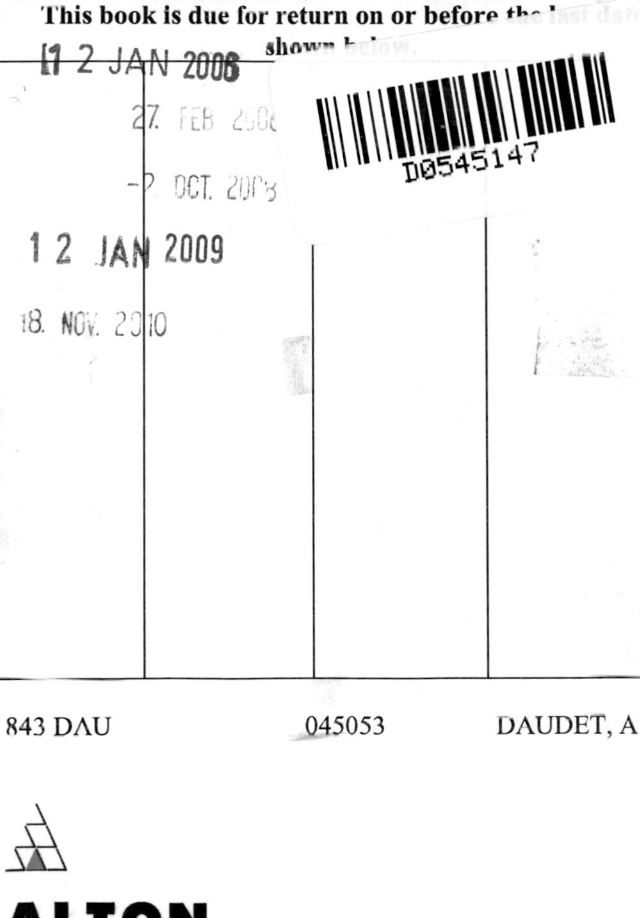

COLLECTION
LECTURE FACILE

GRANDES ŒUVRES

LETTRES DE MON MOULIN

ALPHONSE DAUDET

Adapté par
BRIGITTE CATHERIN

Collection dirigée par
ISABELLE JA

HACHETTE
58, rue Jean-Bleuzen
92170 Vanves

COLLECTION LECTURE FACILE

TITRES PARUS OU À PARAÎTRE

Série Vivre en français

Niveau 1 : La Cuisine française* ; Le Tour de France*.

Niveau 2 : La Grande Histoire de la petite 2 CV* ; La chanson française** ; Paris** ; La Provence*** ; L'Auvergne*** ; L'Alsace.

Niveau 3 : Abbayes et cathédrales de France** ; Versailles sous Louis XIV*** ; La Vie politique française*** ; Le Cinéma français***.

Série Grandes œuvres

Niveau 1 : Carmen*, *P. Mérimée* ; Contes de Perrault* ; Aladin ; Le Roman de Renart ; Les Trois Mousquetaires (T. 1) et (T. 2), *A. Dumas* ; Les Misérables (T. 1) et (T. 2), *V. Hugo* ; Le Tour du Monde en 80 jours, *J. Verne.*

Niveau 2 : Lettres de mon moulin*, *A. Daudet* ; Le Comte de Monte-Cristo (T. 1) et (T. 2)*, *A. Dumas* ; Les Aventures d'Arsène Lupin*, *M. Leblanc* ; Poil de Carotte**, *J. Renard* ; Notre-Dame de Paris (T. 1) et (T. 2)**, *V. Hugo* ; Les Misérables (T. 3), *V. Hugo* ; Germinal**, *É. Zola* ; Tristan et Iseult*** ; Cyrano de Bergerac***, *E. Rostand* ; Sans Famille, *H. Malot* ; Le Petit Chose, *A. Daudet* ; Cinq Contes, *G. de Maupassant* ; Vingt mille lieues sous les mers, *J. Verne.*

Niveau 3 : Tartuffe*, *Molière* ; Au Bonheur de Dames*, *É. Zola* ; Bel-Ami**, *G. de Maupassant* ; Maigret tend un piège, *G. Simenon* ; La tête d'un homme, *G. Simenon* ; L'Affaire Saint-Fiacre, *G. Simenon.*

Série Portraits

Niveau 1 : Victor Hugo** ; Alain Prost***.

Niveau 2 : Colette*, Les Navigateurs français**.

Niveau 3 : Coco Chanel** ; Gérard Depardieu* ; Albert Camus***.

Trois dossiers de l'enseignant sont parus.

* Titres exploités dans le dossier 1.
** Titres exploités dans le dossier 2.
*** Titres exploités dans le dossier 3.

Sommaire

NOTE : les mots accompagnés d'un * dans le texte sont expliqués dans « Mots et expressions », en page 62.

Pour aller plus loin...

Le texte original est disponible dans la collection **Le Livre de Poche classique** (Hachette).

Crédits photographiques : p. 5, photo Étienne Carjat, archives Larousse-Giraudon. Pour les illustrations : dessins d'Albert Uriet pour une édition de 1934, Jean-Loup Charmet.

Couverture : Agata Miziewicz ; illustration : Ziem, *le moulin dit de « Daudet »*, Bulloz, Petit Palais.

Conception graphique : Agata Miziewicz.

Composition et maquette : Joseph Dorly éditions.

Iconographie : Christine de Bissy.

ISBN : 2-01-020464-6

L'auteur et son œuvre

Alphonse Daudet est né en 1840 à Nîmes, une belle ville du sud de la France. Il est mort à Paris en 1897. Quand il est encore très jeune, son père devient pauvre et Alphonse doit travailler dans un collège, où il surveille les élèves. En 1857, il va à Paris et fait du journalisme. Il rencontre beaucoup d'auteurs connus.

Pendant un séjour dans le sud de la France, en 1866, il commence d'écrire son premier roman, *le Petit Chose*. Il y raconte sa jeunesse d'une façon simple et touchante. Il écrit aussi des contes pour les journaux. En 1869, il publie les *Lettres de mon moulin*, récits sur son pays natal qui le rendent très célèbre. Il va pouvoir enfin vivre dans le confort, écrire comme il en a envie.

Alphonse Daudet est un romancier réaliste, qui décrit avec beaucoup de vérité la société de son temps, en particulier les gens simples. Très vite ses contes et ses nouvelles paraissent dans les livres de classe. Tous les enfants de France connaissent *la Chèvre de monsieur Seguin* et tant d'autres histoires. Avec Jean de La Fontaine, Alphonse Daudet est l'auteur le plus connu des écoliers français.

Repères

La Provence est peut-être la plus jolie région de France et celle que les étrangers connaissent le mieux. On y trouve la montagne et la mer, et un climat très doux qui fait mûrir les fruits et les légumes. La Méditerranée est une mer pleine d'îles et de rochers, souvent dangereux pour les pêcheurs ; la montagne a une terre qui n'est pas très riche et qui ne peut nourrir que des moutons et des chèvres. Quant au vent, le terrible mistral, il souffle parfois durant des jours. Mais les Provençaux adorent leur pays.

Au Moyen Âge, la Provence faisait partie d'un vaste territoire situé entre la Garonne et le Rhône, les deux grands fleuves du sud de la France, et s'étendait aussi de l'autre côté des Pyrénées. De nombreux princes se partageaient ces beaux pays. On y parlait une seule langue : la langue d'oc. Les troubadours — les poètes de l'époque — étaient admirés en Provence mais aussi en Espagne et en Italie. En France, les gens du Midi gardent des souvenirs de cette époque lointaine. Au XIXe siècle, le poète Frédéric Mistral a voulu écrire dans la langue des troubadours. Cela a donné une œuvre célèbre, *Mireille*, connue surtout dans sa version française.

C'est cette atmosphère de la Provence que Daudet a voulu rendre, mais en français. Une Provence campagnarde, poétique, et qui, de son temps déjà, n'existait plus. Dans les contes et les histoires que vous allez lire, il imagine qu'il est chez lui, dans un moulin qu'il a acheté parce qu'il ne servait plus. Il envoie des lettres à des amis parisiens qui ne connaissent rien de la Provence. Il leur parle des gens et des choses de son pays.

Installation

Ce sont les lapins qui s'étonnent ! Depuis que la porte du moulin* est fermée, ils croient les meuniers* disparus.

La nuit de mon arrivée, ils sont au moins vingt assis devant la porte. Ils admirent le clair de lune. J'ouvre la fenêtre et hop ! Tous se sauvent. J'espère qu'ils vont revenir.

Quelqu'un d'autre est très étonné : c'est le locataire du premier étage : un vieux hibou*. Il a l'air de réfléchir. Il habite là depuis vingt ans. Il est immobile dans la chambre. Il me regarde mais ne me reconnaît pas. Je le laisse. Il reste sous le toit. Moi, je vais m'installer dans la pièce du bas.

C'est de là que je vous écris. La porte est ouverte au soleil. J'ai devant moi un joli bois de pins*. Au loin, les Alpes. Pas de bruit, sinon un fifre*, un grelot* de mule* et quelques oiseaux dans la lavande*. Tout ce beau paysage provençal est plein de lumière. Comment voulez-vous que je regrette Paris bruyant et noir ? Je suis bien dans mon moulin. Cet endroit me plaît beaucoup. Il fait chaud et tout sent bon. Les journaux sont loin, les voitures et le brouillard aussi. Que de jolies choses autour de moi ! Je suis installé depuis huit jours et j'ai déjà beaucoup de souvenirs...

Tenez, hier au soir, j'ai vu rentrer les troupeaux dans une ferme. Pour moi, c'est plus beau que tous les spectacles parisiens.

En Provence, quand il fait chaud, on envoie les bêtes dans la montagne. Bêtes et gens passent cinq ou six mois dans les Alpes. Là-bas, il dorment à la belle étoile*. À l'automne, ils redescendent dans les collines[1] parfumées.

Donc, hier, les troupeaux rentrent. Depuis le matin, la grande porte de la ferme est ouverte. Les bergeries* sont pleines de paille* fraîche. D'heure en heure, on les attend. On dit : « Ils sont à Eyguières, ils sont à Paradous... » Puis, vers le soir, un grand cri : « Les voilà ! »

Le troupeau avance dans la poussière. La route semble marcher avec lui. Les vieux béliers* viennent d'abord, l'air sauvage. Derrière eux, les moutons, puis les mères fatiguées, les petits entre les pattes. Les mules portent dans des paniers les tout petits. Enfin, les chiens tirent la langue jusqu'à terre. Deux grands bergers*, l'air à demi sauvage, portent des manteaux roux qui tombent sur leurs chaussures. Tout ce monde passe la grande porte avec un bruit de forte pluie. Quelle émotion dans la maison !

De gros paons* vert et or lancent un formidable cri de trompette[2]. Le poulailler* se réveille en sursaut[3]. On a l'impression que chaque mouton rapporte dans sa laine un parfum d'herbe sauvage et un peu d'air vif qui donne envie de danser.

L'installation est pleine de surprises. Les vieux son émus de retrouver la ferme. Les petits regardent autour d'eux avec étonnement. Les chiens s'occupent de leurs bêtes et résistent encore au repos. Quand tous sont enfermés, alors les bergers vont manger et boire. Puis, ils racontent leur vie dans la montagne à ceux qui n'y sont pas allés. Là-bas, il fait noir la nuit, on a peur du loup*, mais les fleurs sont si merveilleuses...

---

1. Collines : petites montagnes.
2. Trompette : instrument de musique en cuivre.
3. En sursaut : brusquement.

La diligence de Beaucaire

L'histoire se passe le jour de mon arrivée ici. Je prends la diligence [1] de Beaucaire pour aller à mon moulin. Ce n'est pas loin, mais il faut la journée.

Nous sommes cinq, dans la diligence, plus le conducteur. D'abord un paysan de Camargue*, petit, fort et avec de larges oreilles. Puis deux boulangers de Beaucaire, rouges et impressionnants. Enfin, à côté du conducteur, un artisan [2] triste et qui regarde la route.

Ces hommes se connaissent. Ils parlent librement de leurs affaires. Le paysan raconte sa visite chez le juge [3]. Il a frappé un berger. On est violent en Camargue. À Beaucaire aussi. Les deux boulangers se disputent à propos de statues d'églises. Ces bons catholiques ne sont pas du même village et n'aiment pas la même église. Ils s'insultent [4]. Ils vont se battre. Heureusement le conducteur les arrête :

– Ce sont des histoires de femmes !

Là, tout le monde est d'accord. La discussion est finie... Mais le boulanger a encore envie de parler.

– Et ta femme, demande-t-il à l'artisan silencieux, elle est de quelle église ?

Alors les hommes se mettent à rire.

– Tais-toi, dit l'artisan.

Mais le boulanger insiste.

– Vous ne connaissez pas sa femme, monsieur ?

---

1. Diligence : voiture collective tirée par plusieurs chevaux. Beaucaire est une petite ville sur le Rhône où se tenait un grand marché.
2. Artisan : ouvrier qui fabrique un objet du début à la fin.
3. Juge : personne qui a pour travail de relever les fautes et les crimes et de les punir selon leur gravité (juger).
4. S'insultent : se disent des paroles méchantes.

Elle est merveilleuse. Elle disparaît tous les six mois. Quand elle revient, elle a des histoires à raconter.

Et c'est une explosion de rires, mais pas pour l'artisan qui répète :

– Tais-toi !

Le boulanger n'entend toujours pas.

« Écoutez :

La première année de leur mariage, elle part avec un marchand de chocolat. Il reste à pleurer et à boire. Peu après, elle revient habillée en espagnole avec un tambourin*. Nous lui disons :

– Cache-toi, il va te tuer !

Eh bien non, il la reprend chez lui. »

Les hommes rient encore.

– Tais-toi, demande l'artisan plein de tristesse. Mais le boulanger reste sourd [1]. Il continue son histoire.

« Elle ne reste pas ; son mari est si généreux [2].

Elle repart avec un officier [3]. Puis avec un musicien. Puis avec je ne sais plus qui...

Chaque fois, c'est la même comédie. La femme part ; le mari pleure. Elle revient ; il est heureux. Quelle patience ! »

– Il faut dire qu'elle est jolie sa femme : belle, joyeuse et charmante. Elle a des yeux qui regardent les hommes en riant. Si vous allez à Beaucaire, monsieur...

– Tais-toi, demande encore l'artisan de plus en plus malheureux.

La diligence s'arrête. Les boulangers descendent. Ils rient encore en se dirigeant vers leur maison. Quelle histoire ! Le paysan descend juste après.

---

1. Sourd : qui n'entend rien. Ici : fait comme s'il n'entendait pas.
2. Généreux : qui est bon, qui donne volontiers.
3. Officier : personne qui commande dans l'armée.

Le conducteur marche à côté de ses chevaux. Nous sommes seuls. Il fait chaud. Il fait lourd. J'ai sommeil, mais je ne peux pas dormir. J'entends les « Tais-toi » de l'artisan. Il est devant moi. Son dos tremble, sa main aussi. Il pleure.

Alors, j'entends :

- Vous êtes arrivé, Parisien !

Le conducteur m'indique la colline de mon moulin. Je descends. Je voudrais saluer l'artisan. À ce moment, il se tourne vers moi et me dit :

- Regardez-moi bien. Si un jour vous entendez : « Il est arrivé malheur à Beaucaire ! », vous pourrez dire que vous connaissez l'homme.

Jolies femmes, faites attention !

La chèvre de monsieur Seguin

À un ami poète.

Tu m'étonneras toujours... On te propose un emploi dans un journal et tu refuses ! Tu réussis en poésie ? Non ! Alors, sois journaliste, imbécile. Tu auras un salaire et de la considération[1].

Tu ne veux pas ? Tu préfères être libre ?

Alors écoute, voici l'histoire de la chèvre* de M. Seguin. Tu vas découvrir le prix de la liberté !

M. Seguin n'a pas de chance avec ses chèvres. Il les perd toutes de la même manière. Un matin, elles se sauvent et le loup les mange. Ce sont des chèvres indépendantes.

Un jour, M. Seguin achète une nouvelle chèvre, Blanquette. C'est la septième. Cette fois, il la choisit jeune. Ainsi, elle s'habituera et elle restera avec lui.

Quelle jolie petite chèvre ! Toute blanche avec des sabots* noirs et brillants et de petites cornes* rayées ! M. Seguin l'installe derrière sa maison. Il l'attache au milieu du pré* avec une longue corde.

Mais bientôt, la chèvre s'ennuie.

Elle regarde la montagne, et elle a envie de s'y promener. Elle devient triste et maigre.

Un matin, elle demande à M. Seguin :

– Laissez-moi partir, je veux aller dans la montagne.

– Tu veux me quitter, Blanquette ? Toi aussi ? J'en ai connu des chèvres comme toi. Même la vieille Renaude, si forte, a été mangée par le loup.

---

1. Considération : ici, trouver sa place dans la société.

M. Seguin installe la petite chèvre derrière sa maison.

Elle a résisté toute la nuit. Elle a été courageuse, mais au matin, elle est morte. Le loup a été plus fort qu'elle. Qu'est-ce qui te manque ici ?

– Rien, monsieur Seguin, mais je veux aller dans la montagne.

– Et que feras-tu en face du loup ?

– Je me battrai, jusqu'à la mort...

– Eh bien non ! Je vais t'enfermer et le loup ne te mangera pas !

Et il enferme la chèvre. Il tourne la clé dans la porte, mais oublie la fenêtre. Il rentre chez lui. Et la chèvre s'en va par la fenêtre.

Quand la chèvre arrive dans la montagne, c'est un bonheur sans fin. Et la fête commence.

Elle est comme une reine. Les arbres la saluent. Les fleurs sentent bon. L'herbe est délicieuse, fraîche et parfumée, vraiment meilleure que dans le pré de M. Seguin en bas, très loin.

Elle n'a peur de rien. Elle fait connaissance avec des chèvres sauvages. Elle est heureuse, elle a beaucoup de succès. Elle a même une aventure que la rivière peut raconter.

Et soudain, c'est le soir.

– Déjà ! dit la petite chèvre étonnée.

En bas, tout est dans le brouillard. Elle se sent un peu triste. Puis elle entend le loup. Elle entend aussi la trompette de M. Seguin qui l'appelle.

Elle réfléchit. Elle a envie de rentrer, mais elle pense à la corde. Alors elle reste. D'ailleurs, M. Seguin ne l'appelle plus.

Il y a un bruit derrière elle. Elle se retourne. Elle voit deux oreilles courtes et droites, deux yeux brillants : c'est le loup.

Énorme, immobile, il est là.

Il la regarde avec gourmandise [1] et la déguste [2] d'avance. Il est sûr qu'il va la manger. Il n'est pas pressé.

Elle comprend tout. Elle a peur. Elle doit résister, comme la vieille Renaude, jusqu'à l'aube [3]. Elle va se battre.

Le monstre avance.

Alors, elle baisse la tête, et ses petites cornes se mettent à danser. Dix fois, elle oblige le loup à

---

1. Avec gourmandise : le loup pense qu'elle doit être bonne à manger.
2. Déguster : manger avec lenteur, en faisant attention au bon goût qu'on a dans la bouche.
3. Aube : début du jour.

reculer. Entre les attaques, elle mange encore un peu d'herbe pour profiter de sa liberté. Toute la nuit, elle regarde les étoiles et pense :

« Je dois tenir jusqu'au matin. Je dois résister aussi bien que la vieille Renaude. »

Enfin, le matin, le coq chante. Blanquette se couche dans l'herbe. Elle est épuisée. Le sang coule sur sa belle robe blanche. Et le loup la mange.

Au revoir Gringoire !

Rappelle-toi : « ... et le matin, le loup la mange ! »

Le secret de maître Cornille

Francet Mamaï est un vieux joueur de fifre. Il vient de temps en temps chez moi, le soir. Je lui offre du vin. Il me raconte des histoires. En voici une qui s'est passée dans mon moulin.

« Notre pays n'a pas toujours été mort, monsieur Daudet. Autrefois, il y avait beaucoup de moulins et de meuniers. Imaginez la vie dans ce beau pays, au temps des moulins à vent...

Autour du village, de droite à gauche, sur les collines, on voit des moulins. Les gens apportent leur blé... et ils viennent de loin ! Les uns derrière les autres, les ânes* montent et descendent les chemins avec leurs sacs sur le dos. Toute la semaine, cela fait plaisir à voir.

Le dimanche aussi nous allons aux moulins. Les meuniers offrent du vin. Les meunières sont belles comme des reines, avec leurs dentelles [1] et leurs croix* d'or. Moi, j'apporte mon fifre. On danse jusqu'à la nuit noire. Ces moulins font la joie et la richesse du pays.

Un jour, malheureusement, des Parisiens ont l'idée d'installer des usines pour remplacer les moulins. Ce qui est nouveau plaît toujours... Les gens prennent l'habitude de porter leur blé là-bas. Les moulins restent sans travail. Pendant quelque temps, ils essaient de résister, mais, l'un après l'autre, ils doivent fermer. Les ânes ne viennent plus. Les belles meunières vendent leux croix d'or. Il n'y a plus de vin, plus de danse. Le vent souffle, mais les moulins restent immobiles. Un jour, enfin, on les détruit et on plante des vignes

---

1. Dentelles : fils tissés très fin et qui ornent les vêtements.

et des oliviers*. Pourtant, un moulin continue, un seul, le moulin de maître Cornille.»

«Maître Cornille est un vieux meunier. Il aime son métier. L'installation des usines le rend fou. Pendant huit jours, on le voit courir. Il crie :

- On veut faire mourir la Provence avec ces usines... N'allez pas là-bas. Ces monstres utilisent la vapeur [1]. C'est une invention du diable. Moi, je travaille avec le vent qui est la respiration du bon Dieu.

Il parle des moulins avec passion. Personne ne l'écoute. Alors, furieux, il s'enferme dans son moulin.

Il vit seul. Il ne garde même pas sa nièce orpheline [2], la petite Vivette. À quinze ans, elle travaille dans des fermes ! Et pourtant, il a l'air de l'aimer. Il va la voir le dimanche. Il s'assoit en face d'elle et il pleure...

Dans le pays, on pense qu'il est avare [3]. On trouve très mal qu'un homme comme lui s'habille comme un misérable. C'est vrai, le dimanche, quand nous le voyons arriver à l'église, nous avons honte [4] pour lui. Cornille le sait. Alors, il reste au fond, avec les pauvres...

Il y a quelque chose de bizarre dans sa vie. Depuis longtemps, personne ne lui apporte plus de blé. Pourtant, les ailes de son moulin continuent à tourner, comme avant, et le soir, on rencontre le vieux meunier derrière son âne chargé de gros sacs de farine.

- Bon après-midi, maître Cornille, crient les paysans, ça va toujours le moulin ?

---

1. Vapeur : énergie produite par la chaleur.
2. Orpheline : qui n'a plus de parents.
3. Avare : qui n'aime pas dépenser son argent.
4. Avoir honte : être mal à l'aise.

Le soir, on rencontre le vieux meunier avec son âne chargé de gros sacs.

– Toujours, répond le vieux d'un air satisfait, je ne manque pas de travail.

Si on lui demande d'où vient ce travail, il répond avec sérieux :

– Chut !... Je travaille pour l'exportation... [1].

Personne ne comprend. Quand on passe devant le moulin, on voit la porte fermée. Les ailes tournent. Le vieil âne mange de l'herbe devant la porte. Sur la fenêtre, un chat maigre vous regarde

1. Exportation : vente à l'étranger.

d'un air méchant. Tout cela est mystérieux et fait parler les gens. Chacun explique à sa manière le secret de maître Cornille. On raconte qu'il y a dans son moulin plus d'or que de blé...

Et tout s'explique... Voici comment.

Un jour, je découvre que mon fils et la nièce de maître Cornille sont amoureux. Je ne suis pas fâché : le nom de Cornille est respecté et la petite Vivette est jolie. Les amoureux sont toujours ensemble, alors je décide de les marier.

Je monte au moulin pour en parler avec le meunier. Ah ! le vieux fou ! Impossible de lui faire ouvrir sa porte. Il ne m'écoute pas. Il crie :

– Retournez à votre musique ! Si vous êtes pressé de marier votre fils, vous pouvez aller chercher des filles à l'usine !

Je rentre chez moi. Que faire ? Les deux amoureux sont désespérés. Ils décident d'aller au moulin.

Quand ils arrivent, maître Cornille vient de sortir. La porte est fermée, mais l'échelle est restée dehors. Les jeunes gens montent et entrent par la fenêtre.

Qu'est-ce qu'ils voient dans le moulin de maître Cornille ? En haut, tout est vide : pas de sacs, pas de blé, pas de farine. On ne sent pas cette bonne odeur de moulin... En bas, tout est misérable. Un vieux lit, quelques vieux vêtements, du pain sec. Dans un coin, trois ou quatre sacs pleins de plâtre [1] et de terre blanche...

Voilà le secret de maître Cornille. C'est du plâtre, et non de la farine, qu'il transporte le soir sur son âne. Pour faire croire à son travail, pour l'honneur [2] de son moulin. Pauvre moulin ! Pauvre Cornille ! Vivette et mon fils reviennent en pleurant. Il faut faire quelque chose pour le vieux meunier.

---

1. Plâtre : matière blanche qui sert à construire.
2. Pour l'honneur : pour qu'on ne pense pas du mal de son moulin.

Sans perdre une minute, je cours chez les voisins. Nous décidons d'aller au moulin apporter du blé à maître Cornille. Tout le village part.

Nous arrivons avec les ânes chargés de sacs de blé. Du vrai blé. Le moulin est ouvert. Devant sa porte, assis sur un sac, la tête dans ses mains, maître Cornille pleure. Il sait qu'on est entré chez lui pendant son absence et qu'on a découvert son triste secret.

- Je préfère mourir, dit-il. Le moulin est déshonoré [1].

Il pleure et il parle à son moulin comme à un ami.

À ce moment-là, nous crions, comme au bon temps des moulins à vent :

- Ohé ! du moulin !... Ohé ! maître Cornille !

Et voilà les sacs devant la porte et du blé de tous côtés. Maître Cornille ouvre de grands yeux. Il prend du blé dans ses mains. Il pleure et il rit en même temps.

- C'est du blé ! Du bon blé ! Laissez-moi le regarder... Je le savais... Vous êtes revenus... Tous ces industriels sont des voleurs !

Nous voulons l'inviter au village :

- Non ! Non ! Je dois nourrir mon moulin. Il n'a pas mangé depuis longtemps !

Nous avons les larmes aux yeux. Le pauvre vieux court à droite et à gauche. Il ouvre les sacs, surveille le travail... et la farine s'envole au plafond.

Croyez-moi, monsieur Daudet, à partir de ce jour-là, nous n'avons jamais laissé le vieux meunier manquer de travail. Puis, un matin, maître Cornille est mort, et les ailes de notre dernier moulin se sont arrêtées pour toujours. Tout a une fin en ce monde... »

---

shonoré : qui a perdu son âme, son honneur.

L'Arlésienne

De mon moulin, pour aller au village, on descend le long d'un chemin qui passe devant une ferme. Cette ferme est au fond d'une grande cour avec des micocouliers — des arbres magnifiques. C'est un mas* provençal.

Pourquoi paraît-elle triste avec sa grande porte fermée ? Je ne sais pas. Il y a trop de silence autour. Quand on passe devant, les chiens n'aboient pas. On n'entend pas une voix, pas un oiseau, pas une mule. Mais on voit des rideaux aux fenêtres et de la fumée qui monte du toit. La maison est donc habitée.

Hier, vers midi, je reviens du village, et pour éviter le soleil, je passe sous les micocouliers. Sur la route, un employé de ferme silencieux charge une charrette*. La grande porte est ouverte. Je jette un coup d'œil et j'aperçois au fond de la cour, la tête dans les mains, un grand vieillard tout blanc, habillé d'une veste trop courte et d'un très vieux pantalon. Je m'arrête et l'employé me dit :

- Chut, c'est le maître, il est comme ça depuis la mort de son fils.

À ce moment, une femme et un petit garçon, habillés de noir, passent à côté de moi, avec de gros livres de messe* dans les mains, et entrent à la ferme.

- ... La maîtresse de maison et le fils cadet. Ils reviennent de la messe. Ils y vont tous les jours depuis que l'enfant s'est tué. Ah ! monsieur, quelle tristesse ! Le père porte encore les habits du mort.

La charrette est prête à partir. Je décide d'e[illegible] savoir plus. Je monte à côté de l'employé [illegible] ferme et j'écoute l'histoire.

Il n'en aime qu'une : une petite Arlésienne habillée de velours et de dentelles.

« Il s'appelle Jan. C'est un superbe paysan de vingt ans, sage et solide. Il est très beau et toutes les femmes le regardent. Lui, il n'en aime qu'une : une petite Arlésienne* habillée de velours et de dentelles. Il l'a rencontrée sur les promenades d'Arles*. Au début, à la ferme, on trouve cette fille trop coquette[1] et étrangère. Mais Jan la veut... Alors, on l'accepte... Ils vont se marier après les moissons*.

---

1. ...uette : qui ne pense qu'à être jolie et à séduire.

Donc, un dimanche soir, un peu avant le mariage, la famille dîne. La fiancée [1] n'est pas là. Un homme se présente et demande à parler au père Anselme... Ils sortent sur la route.

– Maître, dit l'homme vous allez marier votre fils à une coquine [2]. Je l'ai moi-même aimée pendant deux ans ; voici les lettres. Et depuis qu'elle connaît votre fils, elle m'a abandonné.

– C'est bien, répond le maître, entrez boire un verre à la maison.

– Merci, j'ai plus de chagrin que de soif. Adieu !

Et il s'en va. Le père rentre seul, il s'assoit à table et le repas se termine gaiement. Ce soir-là, le père et le fils sortent ensemble dans les champs. Au retour, le fils est désespéré. »

« Depuis ce soir-là, Jan ne parle plus de l'Arlésienne. Il l'aime toujours. Il est fier et ne dit rien. Mais sa vie n'a plus de sens. Quelquefois, il passe toute une journée dans un coin sans bouger. D'autres jours, il fait le travail de dix hommes. Le soir, il marche sur la route d'Arles. Il s'arrête quand il voit le clocher* de l'église. Jamais il ne va plus loin.

Les gens de la ferme ne savent pas quoi faire pour lui. Il est toujours triste et seul. On a peur d'un malheur. Alors, un jour, sa mère lui dit :

– Écoute, Jan, si tu la veux, épouse-la.

Le père est rouge de honte.

Jan fait non de la tête et il sort.

À partir de ce jour, il change. Il a l'air gai. On le voit au bal, au cabaret [3], dans les fêtes et même dans les farandoles*. Le père pense qu'il est guéri ; la mère, elle, a toujours peur. Elle surveille son enfant. Elle installe son lit près de la chambre de son fils. Il peut avoir besoin d'elle, la nuit...

---

1. Fiancée : jeune fille qui va bientôt se marier.
2. Coquine : méchante fille.
3. Cabaret : café populaire.

Puis, c'est la Saint-Éloi, patron des fermiers, il y a une grande fête à la ferme. On boit du château-neuf. On fait des feux dans les champs. On met des lanternes aux arbres. On danse la farandole. Jan a l'air de s'amuser. Il fait danser sa mère qui est heureuse. À minuit, tout le monde va se coucher et a envie de dormir. Jan, non. Son frère raconte qu'il l'a entendu pleurer toute la nuit.

Le lendemain matin, à l'aube, la mère entend quelqu'un traverser sa chambre en courant.

– Jan, c'est toi ? crie-t-elle.

Vite, elle se lève.

Il monte au grenier*. Il ferme la porte.

– Que vas-tu faire ? demande-t-elle.

Une fenêtre s'ouvre. Le bruit d'un corps dans la cour et c'est tout.

Misérable cœur ! Comme nous sommes faibles. Hélas, le mépris[1] ne tue pas l'amour.

Ce matin-là, les gens du village se demandent qui crie si fort.

C'est, dans la cour tachée de sang, la mère qui tient son fils mort dans ses bras. »

---

ris : absence de respect pour quelqu'un.

La mule du pape

J'ai trouvé dans la langue provençale une expression très pittoresque [1]. Quand on parle d'un homme rancunier [2], on dit : « Attention ! cet homme est comme la mule du pape, qui garde sept ans son coup de pied. »

J'ai cherché très longtemps l'origine de cette expression. Les Provençaux eux-mêmes ne connaissent pas l'histoire de cette comparaison. Francet Mamaï, le joueur de flûte, m'a conseillé, avec le sourire, d'aller à la bibliothèque des Cigales*, à côté du moulin. Cette bibliothèque est ouverte jour et nuit. Elle est réservée aux poètes.

Après une semaine de recherches, couché sur le dos, au milieu des herbes parfumées, j'ai découvert l'origine de cette expression. C'est assez amusant.

Au temps des papes, Avignon* est une ville extraordinaire. La bonne humeur est toujours là. La ville est souvent en fête, avec des fleurs, des costumes aux couleurs des différentes régions et des décorations dans les rues. Les chants et la musique accompagnent les visites et les manifestations militaires ou religieuses. Dans les maisons, tout le monde travaille pour le pape. Pour les fêtes, on fait de la dentelle, des objets en or ou en argent, des instruments de musique. Les gens sont heureux et dansent sur le pont d'Avignon. On entend les tambourins et les flûtes toute l'année. Quel bon temps ! Pas de guerre, pas de misère. Les prisons sont transformées en caves à vins. Voilà comment

---

1. Pittoresque : propre à un pays ou une région, qui n'est pas ordinaire.
2. Rancunier : qui garde longtemps le souvenir du mal qu'on lui a fait.

gouvernent les papes. Voilà pourquoi on les regrette aujourd'hui.

Boniface est un pape particulièrement aimé. Il est toujours aimable et bon avec les riches comme avec les pauvres. Il n'a pas d'aventure malhonnête. Il aime sa vigne. Il l'a plantée lui-même, à un kilomètre d'Avignon, à Château-Neuf. Tous les dimanches après-midi, il va dans sa vigne. Il invite ses proches. Il leur offre du vin. Le soir, il rentre sur sa mule. Ils passent sur le pont d'Avignon entre les flûtes et les tambourins. Au milieu des danses, sa mule marche au rythme de la musique. Les gens trouvent ce pape vraiment sympathique.

Après sa vigne, ce que le pape aime le plus, c'est sa mule. Il s'occupe beaucoup d'elle. Le soir, il lui porte du vin sucré et parfumé. Elle est belle, c'est vrai : noire, avec des taches rouges. Les oreilles longues et toujours en mouvement. Tout le monde l'admire. Un certain mauvais garçon aussi.

Et voici l'histoire de Tistet Védène, un bien méchant garçon. Son père est sculpteur [1]. Il a jeté dehors son fils paresseux et malhonnête. Le garçon passe son temps autour du palais des Papes.

Un jour, il passe à côté de la mule et dit au pape :

- Quelle belle mule vous avez là ! Laissez-moi la regarder. Elle est superbe. L'empereur d'Allemagne n'en a pas de plus belle !

Tout heureux, le pape propose aussitôt à cet aimable garçon un emploi au palais. Quand le pape est fatigué, Tistet Védène s'occupe de la mule. Il plaît au pape, mais pas aux gens d'Avignon, et pas du tout à la mule. Tistet Védène lui porte du vin sucré, mais le boit avec ses amis. La mule ne peut rien dire. Et les voleurs, quand ils boivent, sont des

---

1. Sculpteur : artiste qui travaille la terre, la pierre, le marbre.

diables*. La pauvre mule souffre ! Chaque soir, on lui tire les oreilles. On lui tire la queue. On monte sur son dos. Elle ne donne pas de coup de pied : c'est une mule de pape. Elle reste patiente.

Un jour, Tistet Védène la conduit tout en haut d'une tour du palais. Imaginez sa terreur ! Elle crie tant que toutes les fenêtres du palais tremblent. Le pape est fou de colère. Mais déjà Tistet Védène se précipite vers le pape et pleure. Il joue bien la comédie. Pendant ce temps, la pauvre mule est folle de peur. Mais elle prépare un bon coup de pied pour le lendemain...

La même nuit, Tistet Védène part à Naples, en bateau, sur le Rhône. Il va apprendre les bonnes manières. Le pape le récompense : il s'est si bien occupé de sa mule ! Voilà pourquoi la mule ne trouve pas l'horrible garçon le lendemain matin. On la descend alors au bout d'une poulie [1]. Elle se sent humiliée [2].

Et depuis ce jour-là, on se moque d'elle. Le pape lui-même n'a plus confiance en elle : elle est peut-être folle.

Sept ans passent. Tistet Védène revient. Il espère maintenant un très bon emploi auprès du pape. Il a grandi. Le pape le reconnaît à peine. Le pape a vieilli, il voit mal. Tistet Védène insiste :

– C'est moi, Tistet Védène, j'ai porté le vin sucré à votre mule, le soir. Comment va-t-elle ? Est-elle toujours en vie ?

Le pape offre l'emploi demandé. Il organise une réception formidable pour l'occasion. Tistet Védène est très heureux. Et dans le palais quelqu'un est encore plus heureux : c'est la mule. Elle aussi prépare sa réception.

---

1. Poulie : système qui permet de monter ou de descendre des objets très lourds.
2. Humiliée : maltraitée.

Le lendemain, tout le monde est là. Les cloches sonnent. On entend de la musique. Il y a du soleil. On danse sur le pont d'Avignon. Tistet Védène arrive au palais. La mule est en bas de l'escalier. Cet après-midi, elle va conduire le pape dans sa vigne, comme tous les dimanches. Tistet Védène arrive à côté d'elle. Il lui fait un large sourire et lui passe la main sur le dos. Alors la mule lance son coup de pied : « Tiens, dit-elle, je te le garde depuis sept ans ! »

Le coup de pied est très fort : on voit des étoiles. Tistet disparaît en l'air. Un peu plus tard, une plume[1] de son chapeau tombe dans la cour.

C'est tout ce qui reste de lui.

D'habitude, les coups de pied de mule ne sont pas aussi forts. Mais cette fois, c'est un coup de pied préparé pendant sept ans.

Voilà le plus bel exemple de rancune.

---

1. Plume : qui recouvre le corps des oiseaux. On met des plumes sur certains chapeaux.

Le curé de Cucugnan

Tous les ans, les poètes de la région d'Avignon font un petit livre, plein de jolis contes. Dans le livre de cette année, il y a une histoire amusante. Je vais la traduire pour vous. Écoutez bien, Parisiens, c'est une histoire qui sent bon la Provence.

L'abbé* Martin était curé...* de Cucugnan. Il était bon, sincère [1], et il aimait ses Cucugnanais comme un père. Mais l'abbé Martin n'était pas vraiment heureux, car les Cucugnanais n'allaient pas souvent à l'église. Le bon curé était désespéré, alors il a demandé à Dieu de l'aider.

Eh bien, Dieu l'a entendu et l'a aidé. Voici comment.

Un dimanche matin, le curé de Cucugnan commence son sermon* :

« Mes frères, vous me croirez si vous voulez, cette nuit, je suis allé au paradis*.

J'arrive à la porte du paradis. Je frappe : saint Pierre m'ouvre !

– Tiens ! C'est vous, mon bon père Martin ; que se passe-t-il ? Que désirez-vous ?

– Beau saint Pierre, vous qui avez le grand livre [2] et la clé [3], dites-moi : combien de Cucugnanais avez-vous au paradis ?

– Asseyez-vous, monsieur le curé, je vais vous le dire tout de suite.

---

1. Sincère : qui dit toujours la vérité.
2. Grand livre : livre où sont notés les noms de ceux qui vont au paradis.
3. Clé (du paradis) : d'après la légende, saint Pierre garde la porte du paradis.

Et saint Pierre prend son gros livre, l'ouvre, met ses lunettes :

– Alors... Cucugnan... Cu... Cu... Ah ! Voilà : Cucugnan... Mon bon père Martin, la page est blanche. Pas un seul Cucugnanais au paradis.

– Comment ! Personne de Cucugnan ici ? Personne ? Ce n'est pas possible ! Regardez mieux...

– Personne... Regardez vous-même, si vous voulez.

Je suis désespéré. Je frappe des pieds. Je demande à saint Pierre de regarder encore. Alors, saint Pierre me dit :

– Allons, monsieur Martin, calmez-vous. Ce n'est pas votre faute. Et ce n'est pas très grave. Vos Cucugnanais sont sûrement au purgatoire* pour quelque temps.

– Ah ! s'il vous plaît, grand saint Pierre, aidez-moi ! Je dois aller les voir et les consoler [1].

– Bien sûr, mon ami... tenez, mettez ces chaussures, car les routes ne sont pas bonnes... Voilà, c'est bien... Maintenant, allez tout droit. Là-bas, au fond à droite, vous trouverez une porte avec des croix noires dessus. Vous frapperez, on vous ouvrira. Allez, courage ! »

« Et je marche... je marche ! Quel voyage ! Une petite route, pleine de mauvaises herbes, d'insectes qui brillent et de serpents* qui sifflent [2].

J'arrive à la porte.

– Pan ! pan !

– Qui frappe ? dit une voix fatiguée.

– Le curé de Cucugnan.

– De ... ?

– De Cucugnan.

– Ah !... Entrez.

---

1. Consoler : prononcer des paroles douces pour calmer la souffrance.
2. Sifflent : quand certains animaux crient, on dit qu'ils sifflent.

J'entre. Je vois un ange*. Il est grand et beau. Il a des ailes noires comme la nuit et une robe brillante comme le jour. Il écrit dans un grand livre, plus gros que celui de saint Pierre.

– Que voulez-vous ? dit l'ange.

– Ange de Dieu, excusez-moi... Je voudrais savoir : avez-vous les Cucugnanais, ici ?

– Les ?

– Les Cucugnanais, les gens de Cucugnan... Je suis leur curé.

– Ah ! l'abbé Martin, n'est-ce pas ?

– C'est exact, monsieur l'ange.

– Alors... vous dites Cucugnan...

Et l'ange cherche dans son grand livre...

– Cucugnan... Non, il n'y a personne de Cucugnan au purgatoire, monsieur Martin.

– Jésus ! Marie ! Joseph ! personne de Cucugnan au purgatoire ! Où sont mes Cucugnanais ?

– Voyons, mon bon curé, ils sont certainement au paradis.

– Hélas ! je viens du paradis...

– Vous venez du paradis... Eh bien ?

– Eh bien ! ils n'y sont pas ! Ah ! mon Dieu !

– Alors, monsieur le curé, c'est très simple : vos Cucugnanais ne sont ni au paradis ni au purgatoire, ils sont... en enfer* !

– Aï ! aï ! aï ! Sainte croix ! Ce n'est pas possible ! Les Cucugnanais en enfer ! Qu'est-ce que je peux faire ?

– Écoutez, mon pauvre monsieur Martin, vous voulez aller voir vos Cucugnanais ? C'est possible. Prenez cette route et courez, courez très vite. Vous trouverez à gauche une grande porte. C'est l'enfer ; on vous renseignera.

Et l'ange ferme la porte. »

« Le chemin est rouge et brûlant. J'ai chaud. J'ai soif. Je tombe. C'est terrible. Heureusement, j'ai les chaussures du bon saint Pierre, alors je ne me brûle pas les pieds.

Tout à coup j'aperçois à gauche une grande, une très grande porte, ouverte, comme la porte d'un grand four. Oh ! mes enfants, quel spectacle ! Là, on ne me demande pas mon nom ; là, pas de livre.

On entre par dizaines, mes frères, comme vous le dimanche au café. J'ai chaud et j'ai froid en même temps. Je tremble. Je sens la viande rôtie. J'entends des pleurs et des cris.

- Eh bien ! tu entres ou tu n'entres pas, toi ? me dit un diable avec des cornes. Et il me pique avec sa fourche*.

- Moi, je n'entre pas. Je suis un ami de Dieu.

- Tu es un ami de Dieu... Alors, qu'est-ce que tu viens faire ici, espèce d'idiot !

- Je viens... Ah ! écoutez... je suis si fatigué... je viens... je viens de loin... vous demander... si... vous avez ici... quelqu'un... quelqu'un de Cucugnan...

- Ah ! ça alors ! Tu te moques de moi ! Tu sais bien que tout le village de Cucugnan est ici. Tiens, regarde. Tu vas les voir, tes Cucugnanais, en enfer.

Et je vois, au milieu des flammes, le grand Coq-Galine — vous l'avez tous connu mes frères — Coq-Galine, qui était toujours ivre [1] et qui battait sa femme.

Je vois Catarinet, la petite qui ne couchait pas dans son lit... Vous vous souvenez d'elle, n'est-ce pas ?

Je vois Pascal Doigt-de-Paix, qui volait des olives. Et Babet, qui volait du blé. Et Grapasi, et Dauphine, encore des malhonnêtes. Et le Tortillard, qui ne disait jamais bonjour au curé.

Et Coulau avec sa Zette, et Jacques, et Pierre, et Toni... »

---

1. Ivre : qui a bu trop de vin.

Dans l'église, verts de peur, les Cucugnanais écoutent le curé. Et chacun voit les morts de sa famille, son père ou sa mère, ou sa grand-mère, ou sa sœur, dans l'enfer ouvert comme un grand four.

« Vous comprenez bien, mes frères, continue le bon abbé Martin, vous comprenez bien que vous êtes tous sur le chemin de l'enfer. Il faut faire quelque chose. Je veux vous aider. Je commence demain, pas plus tard que demain : il y a du travail ! Voici ce que je vais faire : je vais confesser* tout le monde. Et je vais le faire dans le bon ordre. Nous ferons des groupes, comme à Jonquières quand on danse.

Demain lundi, je confesse les vieux et les vieilles. Ce n'est rien.

Mardi, les enfant. Ce sera vite fait.

Mercredi, les garçons et les filles. Ce sera peut-être long.

Jeudi, les hommes. Je me dépêcherai.

Vendredi, les femmes. Je leur dirai : « Ne racontez pas d'histoire ! »

Samedi, le meunier ! Il faut bien un jour pour lui tout seul !

J'espère que tout sera fini dimanche. *Amen !* »

Ce qui est dit est fait et tout le monde se confesse. Depuis ce dimanche, on respire à Cucugnan un vrai parfum de sainteté*.

Le bon curé Martin a rêvé l'autre nuit. Il arrivait au paradis, avec tous ses Cucugnanais, au milieu d'une fête magnifique organisée par eux.

Le sous-préfet aux champs

Monsieur le sous-préfet [1] est en tournée. La voiture de la sous-préfecture a beaucoup d'allure avec un cocher [2] devant et un valet [3] derrière.

Pour le concours général agricole de la Combe-aux-Fées, monsieur le sous-préfet a mis son bel habit, son chapeau et son épée... [4].

Il regarde tristement, sur ses genoux, une grande serviette en cuir. Il pense au fameux discours qu'il doit prononcer devant les habitants de la Combe-aux-Fées.

- Messieurs et chers administrés...

La suite ne vient pas. Il répète vingt fois :

- Messieurs et chers administrés...

La suite du discours n'arrive pas.

Il fait si chaud dans cette voiture. Et loin, sur la route de la Combe-aux-Fées, il voit le soleil, et encore le soleil ! Ah... ce soleil du Midi, cette chaleur et cette poussière sur les arbres devenus blancs ! Et ces milliers de cigales qui n'arrêtent pas de chanter !

Tout à coup, monsieur le sous-préfet sursaute. Là-bas, il aperçoit un petit bois de chênes verts*. Le petit bois l'appelle :

- Venez donc par ici, monsieur le sous-préfet, pour écrire votre discours. Vous serez bien sous les arbres...

Monsieur le sous-préfet est séduit [5] par cette idée. Il saute de sa voiture et dit à ses valets qu'il va préparer son discours dans le bois.

---

1. Sous-préfet : homme qui a un pouvoir important dans une région.
2. Cocher : qui conduit une voiture à chevaux.
3. Valet : qui veille sur son maître et s'occupe de ses affaires.
4. Épée : très long couteau qui sert à se battre. Ici, l'épée sert à indiquer la fonction de l'homme qui la porte.
5. Est séduit : cette idée lui plaît.

Dans le bois, il y a des oiseaux, des violettes* et de l'eau fraîche. Quand ils aperçoivent le sous-préfet, tout ce monde a peur. Les oiseaux s'arrêtent de chanter, les violettes de sentir bon et l'eau de couler. Ils n'ont jamais vu de sous-préfet. Ils se demandent qui est ce beau prince :

- Qui est-il avec ce beau costume ?

Pendant ce temps, monsieur le sous-préfet, ravi du silence et de la fraîcheur du bois, s'assied au pied d'un arbre et ouvre sa serviette.

- C'est un artiste, dit un oiseau.

- Non, dit un autre, c'est un noble[1].

- Ni un artiste, ni un noble, dit un vieux rossignol* qui a chanté toute une saison à la sous-préfecture, c'est un sous-préfet.

Et tout le monde répète :

- C'est un sous-préfet !

Et les fleurs demandent :

- Est-ce que c'est méchant ?

Et le vieux rossignol répond :

- Pas du tout.

Et tous les oiseaux recommencent à chanter, les violettes à sentir bon et l'eau à couler. Comme si monsieur le sous-préfet n'était pas là.

Monsieur le sous-préfet pense au concours général agricole et il recommence :

- Messieurs et chers administrés...

Un rire l'arrête. Il se retourne et voit un oiseau qui le regarde. Il est sur son chapeau et il rit. Le sous-préfet veut continuer son discours, mais il entend :

- Pourquoi ce discours ?

- Comment ? dit le sous-préfet qui devient tout rouge.

Et il reprend :

- Messieurs et chers administrés...

---

1. Noble : qui appartient à la haute société.

- C'est un sous-préfet !

- Messieurs et chers administrés...

Mais les violettes lui disent :

- Monsieur le sous-préfet, sentez-vous comme nous sentons bon ?

Et les oiseaux dans les arbres, au-dessus de sa tête, chantent pour lui leurs plus belles chansons. Tout le bois attire son attention et l'empêche de composer son discours.

Monsieur le sous-préfet, ivre de parfums, de musique et de bien-être, essaie encore deux ou trois fois :

– Messieurs et chers administrés...

Et il envoie ses administrés au diable et il oublie le concours agricole.

Une heure plus tard, quand les valets entrent dans le petit bois, ils sont devant un spectacle incroyable : monsieur le sous-préfet est couché dans l'herbe. Il mâche un brin d'herbe. Sa veste est ouverte, son pantalon desserré... Il ressemble à un bohémien [1] ! Et il fait de la poésie !

---

1. Bohémien : qui court les routes, répare les chaises, chante et danse. On dit aussi gitan ou tzigane.

Les vieux

– Une lettre, facteur ?

– Oui, monsieur... ça vient de Paris !

Il est fier de m'apporter une lettre de Paris. Moi, je suis sûr que cette lettre va me faire perdre toute ma journée... Je ne me trompe pas. Tenez, lisez avec moi :

Tu dois me rendre un service. Ferme ton moulin pour une journée et va à Eyguières. À côté du couvent des Orphelines, il y a la maison de mes grands-parents. Entre sans frapper et crie bien fort : « Je suis l'ami de Maurice ! » Alors, tu verras deux adorables petits vieux. Embrasse-les. Parle avec eux, écoute-les, reste un moment près d'eux. Ils seront heureux. Je leur ai souvent parlé de toi et de notre amitié...*

Au diable, l'amitié ! Justement, aujourd'hui, il fait beau, une vraie journée de Provence. Je voudrais rester assis à l'ombre et rêver... Enfin, que voulez-vous faire ? Je ferme le moulin et je pars.

J'arrive à Eyguières... Il n'y a personne dans le village. Seulement une vieille femme, qui ressemble à une fée. Elle m'indique le chemin.

Me voici devant une grande maison noire. C'est le couvent des Orphelines. À côté, j'aperçois une maison plus petite, avec un jardin derrière. J'entre sans frapper.

Au bout du couloir, sur la gauche, par la porte ouverte, on entend une voix d'enfant qui lit en s'arrêtant à chaque syllabe : A... LORS... SAINT... I... RÉ... NÉE... S'É... CRIE... JE... SUIS... Je m'approche et je vois, dans une chambre, une petite fille habillée en bleu qui lit un livre plus gros qu'elle. Un petit vieux dort dans un fauteuil, des oiseaux dorment dans leur cage et des mouches dorment au plafond. La petite fille lit :

AUS... SI... TÔT... DEUX... LIONS... SE... PRÉ... CI... PI... TENT... SUR... LUI... ET... LE... DÉ...VO... RENT...

J'entre dans la chambre à ce moment-là, et c'est comme au théâtre ! La petite fille pousse un cri, le livre tombe, les oiseaux et les mouches se réveillent et le vieux saute hors de son fauteuil. Je dis :

- Bonjour ! Je suis l'ami de Maurice.

Aussitôt, le vieux vient vers moi. Il m'embrasse. Il traverse la chambre en disant :

- Mon Dieu ! Mon Dieu !

Il rit. Il court en répétant :

- Ah ! monsieur... ah ! monsieur...

Puis il appelle sa femme :

- Mamette !

On entend des petits pas dans le couloir. Elle entre, suivie d'une orpheline habillée en bleu. Le vieux me présente :

- C'est l'ami de Maurice...

Alors la jolie petite vieille commence à trembler, à rougir, à pleurer, à perdre son mouchoir [1].

- Vite, vite, une chaise... dit la vieille à son orpheline.

- Ouvre les volets [2], crie le vieux à son orpheline.

Ils m'emmènent près de la fenêtre. Je m'assois entre les deux vieux. Et ils commencent à me poser des questions :

- Comment va Maurice ? Qu'est-ce qu'il fait ? Pourquoi ne vient-il pas ? Est-ce qu'il est content ?...

Et patati ! et patata ! Comme cela pendant des heures.

---

1. Mouchoir : morceau de tissu qu'on porte dans la poche, autour du cou, sur la tête. Le mouchoir sert d'abord à essuyer sa bouche ou son nez.
2. Volets : planches de bois qui ferment les fenêtres.

Moi, je réponds comme je peux. Je donne beaucoup d'informations. J'en invente aussi.

– De quelle couleur est sa chambre ? demande Mamette.

– La couleur de sa chambre !... Elle est bleue, madame, bleue avec des fleurs...

– Vraiment ? dit Mamette. Et elle regarde son mari :

– Maurice est un bon petit-fils !

Et le mari répète :

– Oh ! oui, c'est un bon petit-fils !

Je parle et ils m'écoutent tous les deux en souriant. Quelquefois, le vieux s'approche de moi et me dit :

– Parlez plus fort... Elle n'entend pas très bien.

Et la vieille me dit :

– Parlez plus fort... Il n'entend pas très bien...

Alors, je parle plus fort. Ils me remercient d'un sourire. Et je vois dans leurs yeux Maurice qui me sourit lui aussi, là-bas, à Paris.

Tout à coup, le vieux se lève.

– Mais, j'y pense, Mamette... Il n'a peut-être pas déjeuné !

Et Mamette lève les bras :

– Pas déjeuné !... Grand Dieu !... Vite, les petites filles ! La table au milieu de la chambre, la nappe du dimanche, les assiettes à fleurs... Allons, vite ! Et ne riez pas, s'il vous plaît !

Les petites filles se dépêchent, cassent trois assiettes, et le déjeuner est prêt.

– Vous allez bien manger, me dit Mamette, mais vous allez manger tout seul... Nous avons déjà mangé ce matin.

Les vieux n'ont jamais faim : ils ont toujours mangé le matin !

Mon déjeuner, c'est un peu de lait, quelques fruits et des gâteaux secs. Avec cela, Mamette peut manger pendant une semaine. Et moi, tout seul, je mange tout !

Les deux petites filles me regardent manger. Les oiseaux aussi, mais ils ne sont pas contents. Ils ont l'air de dire :

- Oh ! Ce monsieur mange tous les gâteaux !

Je regarde autour de moi. Dans la chambre, il y a deux petits lits, les lits des deux petits vieux. J'imagine Mamette et son mari, quand ils se réveillent, à trois heures du matin. Tous les vieux se réveillent à trois heures :

« Tu dors, Mamette ?

- Non mon ami.

- Maurice est un bon petit-fils, n'est-ce pas ?

- Oh ! oui, c'est un bon petit-fils. »

Et ils parlent de Maurice...

Tout à coup, j'aperçois le vieux, à l'autre bout de la chambre. Il est monté sur une chaise, devant l'armoire, et il essaie d'attraper un bocal de cerises* à l'alcool. Pour moi.

Vous voyez le tableau : le vieux qui tremble, les petites filles qui tiennent la chaise, Mamette derrière, qui a peur. C'est charmant.

Enfin, le vieux réussit à attraper le bocal. Il me sert et il me dit :

- Vous avez de la chance ! C'est ma femme qui a préparé ces cerises... Vous allez goûter quelque chose de bon.

Hélas, Mamette a oublié de sucrer les cerises. Elles sont horribles, mais je mange tout.

Le repas terminé, je me lève. Il est tard, le moulin est loin, je dois partir.

- Mamette, dit le vieux, mon manteau ! Je veux aller avec monsieur jusqu'à la place.

Mamette aide son mari à mettre son manteau. Elle lui dit :

- Tu ne rentreras pas trop tard, n'est-ce pas ?

Et lui, d'un petit air malin :

– Hé ! Hé !... Je ne sais pas... peut-être...

Et tout le monde rit, le vieux, Mamette, les petites filles et même les oiseaux...

Nous sortons, le grand-père et moi. Il est fier de marcher à côté de moi, comme un homme. Mamette nous regarde partir et elle est heureuse. Elle pense : « Il est peut-être vieux, mon mari, mais il marche encore ! »

Le portefeuille de Bixiou

Un peu avant de venir m'installer en Provence, un matin, je reçois la visite d'un homme.

Il est vieux, maigre, il a l'air fatigué et, tout à coup, je le reconnais : c'est Bixiou, le fameux journaliste, Bixiou l'humoriste[1].

D'habitude, il fait rire ou il fait peur. Ce jour-là, il est triste.

Il se rapproche et il me dit :

– Pitié pour un pauvre aveugle[2] !

Je trouve la demande très bien imitée. Je ris. Mais aussitôt, il ajoute :

– Je ne plaisante pas.

Et je vois ses yeux. Deux trous noirs effrayants.

– Je suis aveugle pour toujours, ajoute-t-il. Voilà le prix de l'humour ! Vous travaillez ? me demande-t-il.

– Non, je déjeune. Voulez-vous vous asseoir à ma table ?

Il ne répond pas, mais il s'installe. On le sert.

– Cela a l'air bon. Je vais me régaler, car il y a longtemps que je ne mange plus. Parfois un pain entre deux courses. Car je vais poster les papiers d'un bureau à un autre. C'est tout ce que je peux faire. Je ne peux plus dessiner, ni écrire, ni dicter[3]. Je ne vois plus le ridicule : je ne peux plus me moquer des gens. Je leur demande de m'aider. Un emploi réservé aux aveugles. Je cherche un emploi réservé aux aveugles...

Je lui offre un petit verre d'alcool. Il le boit avec plaisir.

---

1. Humoriste : auteur comique.
2. Aveugle : qui ne voit pas.
3. Dicter : dire à haute voix pendant que quelqu'un écrit.

Et tout de suite, il se lève. Il tient son verre à la main et il parle comme à deux cents personnes.

– Vive les arts, la littérature et la presse !

Pendant dix minutes, il fait un discours formidable de méchanceté. Il se moque de toutes les réunions littéraires, de tous nos bavardages, de toutes nos disputes et de toutes les bizarreries de notre société.

– On se bat, on s'entretue, on se vole, on parle d'argent comme chez les bourgeois, mais on meurt de faim. On demande de l'aide. On organise aussi des cérémonies pour les morts, mais on refuse de payer une tombe à un pauvre, à un fou ou à un suicidé [1].

Bixiou raconte, donne des détails, imite ses ennemis et fait des grimaces [2] mieux que personne et mieux que jamais. Le spectacle est extraordinaire.

Puis il se plaint de sa femme et de sa fille. Sa femme est devenue bigote*, comme toutes les anciennes maîtresses ! Elle s'occupe de charité, des pauvres, des Chinois et de l'église, mais pas de son mari.

Souvent, quand les journaux lui manquent trop, il achète un journal, juste pour respirer l'odeur du papier. Mais il n'y a personne pour lui lire. Sa femme n'aime pas les faits divers : elle les trouve immoraux [3].

Et sa fille ? Elle lui lirait les journaux, mais elle n'habite plus avec eux. Depuis qu'il est aveugle, Bixiou l'a laissée dans une école religieuse. C'est une économie.

Il a toujours attiré les difficultés. Même sa fille lui a donné des soucis. Depuis qu'elle est née, elle a eu toutes les maladies. Et elle est laide, à faire peur...

---

1. Suicidé : qui s'est donné la mort.
2. Grimaces : traits du visage qu'une personne change pour faire rire.
3. Immoraux : contraires à la morale, c'est-à-dire aux bonnes mœurs, à ce qui est généralement accepté par tout le monde.

Et puis il boit son verre, il demande l'heure et part sans un au revoir.

Moi, je suis triste comme jamais. Après le départ de cet aveugle, écrire me fait horreur.

Je rêve de nature et de bonté. Quel est ce besoin de tout rendre laid ? Quelle misère !

Je marche de long en large. J'entends encore les paroles de l'aveugle et sa méchanceté pour sa fille.

Tout à coup, je vois quelque chose à côté de sa chaise : son portefeuille...

On raconte qu'il y met toutes les horreurs qu'il prépare. Je veux voir, je veux savoir.

J'ouvre et je trouve des lettres sur du papier à fleurs. Elles sont signées Céline. Elles sont rangées avec des ordonnances de maladies d'enfants, presque toutes les maladies. Enfin, une grande enveloppe avec deux ou trois cheveux jaunes et frisés. Et je lis : « Cheveux de Céline, coupés le 13 mars, jour de son entrée à l'école. »

Ah ! Parisiens, vous aimez le rire, la méchanceté, l'horreur et l'enfer...

« Cheveux de Céline, coupés le 13 mars. »

L'homme à la cervelle d'or

À une lectrice qui demande
des histoires gaies.

Madame, vous trouvez mes histoires un peu tristes. Je décide aujourd'hui d'écrire une histoire gaie. Je suis heureux, je vis loin du mauvais temps de Paris.

Dans mon pays, la lumière et la musique sont toujours au rendez-vous. J'ai des orchestres d'oiseaux et de cigales. J'entends les fifres des bergers et les rires des belles filles brunes.

Mes histoires doivent être roses et non noires.

Eh bien, non !

Je reçois de Paris, tous les jours, de tristes nouvelles.

Je viens d'apprendre la mort d'un ami écrivain. Je me sens en deuil[1] ! Voici son histoire.

Un enfant naît avec une très grosse tête. Les médecins pensent qu'il va bientôt mourir. Pourtant, il vit et il grandit.

Il se cogne souvent. Un jour, il tombe la tête la première et on entend un bruit de métal[2]. Il n'est pas mort. Il a deux gouttes d'or sur le front.

Ses parents découvrent qu'il a une cervelle[3] d'or. Ils ne disent rien. Ils gardent leur secret.

Le garçon ne comprend pas pourquoi il ne peut pas jouer avec les autres enfants dans la rue.

---

1. Deuil : état d'une personne qui a perdu un parent ou un ami.
2. Métal : matière solide et brillante. L'or est un métal.
3. Cervelle : intérieur de la tête.

– Je veux garder mon trésor [1], lui dit sa mère.

À dix-huit ans, il apprend qu'il a une cervelle d'or. Et ses parents lui demandent un peu de son or pour le prix de son éducation.

Il n'hésite pas. Il arrache un morceau d'or gros comme une noix* et le donne à sa mère.

Il se sent fort et riche. Il quitte ses parents et commence à voyager. Il dépense sans compter. Il vit comme un roi.

Mais, peu à peu, ses yeux deviennent moins brillants, ses joues plus pâles. Il prend peur.

Il décide de travailler. Il se cache. Il devient avare. Un ami reste avec lui parce qu'il connaît son secret...

Une nuit, l'homme à la cervelle d'or se réveille. Il a très mal à la tête. Et il voit son ami qui court et qui cache quelque chose sous son manteau.

« Encore un peu de cervelle qui disparaît », pense-t-il.

Quelque temps après, il rencontre une jeune fille. Il tombe amoureux d'elle. Elle l'aime aussi, mais elle aime surtout ses cadeaux. Il lui offre des bijoux et des rubans. Elle ressemble à une poupée [2] et à un oiseau.

Entre ses mains, les pièces d'or disparaissent très vite. Elle veut tout. Il lui achète tout. Il ne dit jamais non.

Il ne lui dit pas son secret ni l'origine de leur richesse. Mais il ne veut pas avoir l'air avare.

Deux ans plus tard, elle meurt, comme un oiseau. Avec le reste de son trésor, il organise un bel enterrement et il donne de l'or à l'église.

Lorsqu'il sort du cimetière [3], il se sent un peu ivre. Il marche longtemps, seul.

---

1. Trésor : chose très précieuse.
2. Poupée : jouet qui a la forme d'une personne adulte ou d'un enfant.
3. Cimetière : endroit où l'on met les morts dans la terre, on les enterre.

Le soir, il s'arrête devant une vitrine et choisit de jolies bottes pour sa femme. Il ne se rappelle plus qu'elle est morte. Il entre dans la boutique.
Tout à coup, on entend un cri : l'homme est mort et il a du sang sur les doigts avec des traces d'or. Il a tout dépensé.

Voilà la légende de l'homme à la cervelle d'or. Quelques hommes sont riches d'un secret. Alors ils paient cher toutes les choses de la vie.

Les trois messes basses

- Deux dindes truffées [1], Garigou ?...

- Oui, mon père ; c'est moi qui les ai remplies de truffes. Je le sais ; deux dindes magnifiques.

- Jésus, Marie ! moi qui aime tant les truffes ! Donne-moi vite mon habit de cérémonie, Garigou. Et avec les dindes, qu'est-ce que tu as aperçu à la cuisine ?

- Toutes sortes de bonnes choses... Depuis midi nous avons préparé des poissons, des poules, des coqs... On a apporté des anguilles, des carpes dorées, des truites, des...

- Grosses comment les truites, Garigou ?

- Grosses comme ça... mon père, énormes !

- Oh ! là là ! je les vois d'ici. As-tu préparé le vin de messe ?

- Oui mon père, mais il ne vaut pas le vin que vous boirez tout à l'heure après la messe de minuit. Il y a dans la salle à manger du château des carafes de vin de toutes les couleurs. Et de la vaisselle d'argent qui brille, des fleurs magnifiques et des bougies [2] superbes. On prépare un réveillon* de toute beauté. Monsieur le marquis [3] a invité tous les nobles de la région. Vous serez au moins quarante à table. Ah ! vous avez de la chance ! Je sens d'ici ces dindes aux truffes.

- Allons mon enfant, pas de péché* de gourmandise la nuit de Noël. Va vite allumer les bougies et sonner les cloches. Il est bientôt minuit. Il ne faut pas être en retard.

---

1. Dindes truffées : on mange la dinde à Noël, avec des truffes, qui sont des champignons rares et très chers.
2. Bougies : bâtons de cire dont la flamme éclaire.
3. Marquis : homme de haute noblesse.

Ainsi parlent un curé et son enfant de chœur*, ou peut-être le diable. Et le curé, ce soir-là, fait un péché de gourmandise.

Pendant qu'on sonne la messe, le curé met son habit de cérémonie et pense aux descriptions du château :

« Des dindes rôties, des carpes dorées, des truites grosses comme ça... »

Dehors le vent de la nuit souffle et les lumières apparaissent sur les collines. Les familles viennent entendre la messe de minuit à la chapelle [1] du château. Malgré l'heure et le froid, les gens marchent en chantant. Ils pensent à la fin de la messe. Il y a toujours, après la messe, une table pour eux dans les cuisines du château.

La nuit est claire, les étoiles brillent dans le ciel, le vent souffle et garde la tradition des Noël blancs de neige. Tout en haut de la colline, le château est comme une étoile. Tout le monde pense au réveillon.

*

* *

Drelindin, din !... Drelindin, din !

C'est la messe de minuit qui commence. Dans le château, tout est prêt. Quel monde ! Que d'élégance ! Que de beaux habits ! Les marquis, les servantes, les familles, et même les cuisiniers qui, entre deux sauces [2], viennent écouter quelques instants de messe, tous apportent un air de fête à l'église.

Qui distrait le curé ? Le cuisinier ou la cloche de Garigou ? Il oublie la messe et pense au réveillon. Il voit les cuisiniers et imagine les plats. Il voit le repas de fête. Quel délice ! Il voit les fruits, les poissons... Et au lieu de dire les derniers mots de la

---

1. Chapelle : petite église.
2. Sauces : préparations liquides qui accompagnent la viande.

messe, il dit merci pour ce repas. Il finit la première messe presque correctement, mais il en reste deux.

Et voilà. Allez, la suivante !

Drelindin din ! Drelindin din !

C'est la deuxième messe qui commence... Et avec elle commence le péché.

- Vite, vite, crie la sonnette de Garigou. Cette fois, le curé tourne les pages du livre de messe très vite. Il fait très vite les gestes de la cérémonie. Il finit vite les prières. Il dit la moitié des mots. La deuxième messe est vite terminée.

Drelindin din ! Drelindin din !

C'est la troisième messe qui commence. Le curé est bientôt à table ! Vite. Il voit les carpes dorées, les plats qui sentent bon. La sonnette crie :

- Vite ! Encore plus vite !

Mais c'est impossible.

Il lit un quart des textes, il supprime des prières. Les fidèles sont surpris. Ils ne comprennent plus la messe. Les uns sont assis, les autres debout. Une vieille dame dit :

- Le curé va trop vite !

Mais les gens sont pressés aussi. Quand la messe est finie, tous sont déjà partis.

*

* *

Cinq minutes après, les invités s'assoient dans la grande salle à manger. Le château est plein de rires et de plaisirs. Le curé mange. Il boit et il mange tant qu'il meurt.

Il n'a pas le temps de demander pardon au bon Dieu.

Quand il arrive au paradis, Dieu lui dit :

- Va-t'en, mauvais chrétien ! Ta faute est terrible. Tu m'as volé trois messes de minuit... Tu en diras trois cents avant d'entrer au paradis.

Voilà l'histoire d'un curé gourmand.

Aujourd'hui, le château n'existe plus, mais la chapelle est encore là. Tous les ans, à Noël, les paysans voient de la lumière. Quelqu'un raconte qu'il a vu des lumières et entendu des pas. Il dit qu'il a vu des dames en grandes robes, des hommes habillés comme des marquis et de vieux paysans aussi. Il a aussi vu un vieux curé qui récite des prières.

C'est sûrement ce curé trop gourmand, un soir de réveillon.

Les deux auberges

C'est en revenant de Nîmes, un après-midi de juillet. Il fait très chaud. Je marche sur la route blanche, sous un soleil terrible. Pas d'ombre, pas de vent. Seulement le cri des cigales.

Je marche depuis deux heures, quand tout à coup j'aperçois quelques maisons blanches. C'est le village de Saint-Vincent. Cinq ou six mas, pas plus, et, tout au bout du village, deux grandes auberges* qui se regardent face à face, de chaque côté de la route.

Ces deux auberges sont surprenantes. D'un côté, une grande maison neuve, pleine de vie et de bruit. À l'extérieur, des voitures, des chevaux, des voyageurs qui se reposent à l'ombre. À l'intérieur, des cris, des jeux, le bruit des verres et des bouteilles et, surtout, au milieu de tout cela, la voix joyeuse et forte d'un homme qui chante :

La belle Margoton
Ce matin s'est levée,
A pris son seau d'argent,
À l'eau s'en est allée...

L'auberge d'en face, au contraire, est silencieuse et semble abandonnée. De l'herbe devant la porte, des volets cassés... Tout a l'air pauvre et triste. J'ai presque les larmes aux yeux. Je décide de m'arrêter là pour boire un coup.

En entrant, je trouve une longue salle déserte, avec trois grandes fenêtres sans rideaux, quelques tables recouvertes de poussière et partout, sur les fenêtres, sur le plafond, sur les tables, dans les verres, des mouches, des milliers de mouches qui font un bruit terrible.

L'auberge d'en face est silencieuse et semble abandonnée.

Au fond de la salle, il y a une femme qui regarde par la fenêtre. Je l'appelle deux fois :

– Madame !... Hé ! madame !

Elle se retourne lentement. Je vois un pauvre visage de paysanne, couleur de terre. Pourtant, ce n'est pas une vieille femme ; mais c'est une femme qui a beaucoup pleuré.

– Qu'est-ce que vous voulez ? me demande-t-elle.

– M'asseoir un moment et boire quelque chose...

Elle me regarde très étonnée, sans bouger de sa place.

Je demande :

- Ce n'est pas une auberge, ici ?

- Si... c'est une auberge... si vous voulez... Mais pourquoi n'allez-vous pas en face comme les autres ? C'est beaucoup plus gai...

- C'est trop gai pour moi... J'aime mieux rester chez vous.

Et, sans attendre sa réponse, je m'assois. Alors, elle comprend que j'ai vraiment envie de rester et elle commence à me préparer quelque chose.

Mais ce voyageur à servir, c'est un véritable événement ! La pauvre femme va et vient d'une pièce à l'autre, ouvre des tiroirs, ferme des placards, lave des verres, des assiettes, chasse les mouches...

Après un quart d'heure de cette activité, elle pose devant moi une assiette pleine de raisins secs, un morceau de pain dur et une bouteille de mauvais vin.

Je bois et j'essaie de la faire parler.

- Vous n'avez pas beaucoup de clients, n'est-ce pas, ma pauvre femme ?

- Oh non ! monsieur, personne ne vient jamais ici... Quand nous étions la seule auberge dans le village, c'était différent. Nous avions du monde toute l'année. Mais depuis que les voisins sont arrivés, nous avons tout perdu. Les gens aiment mieux aller en face. Ils trouvent que chez nous c'est triste... Ils ont raison. La maison n'est pas agréable. Je ne suis pas belle, je suis malade, mes deux petites filles sont mortes... En face, au contraire, on rit tout le temps. La patronne est une Arlésienne, une belle femme qui porte des bijoux... Alors, elle a beaucoup de clients, elle est connue, elle a tous les jeunes des environs... Moi, je reste ici toute la journée, toute seule ; je n'attends plus rien.

Elle me parle, mais elle continue de regarder par la fenêtre, là-bas, en face, l'auberge de l'Arlésienne.

Tout à coup, de l'autre côté de la route, il y a un grand mouvement. Une voiture part. Des filles crient : « Adieu !... Adieu !... »

Et l'on entend la voix de l'homme qui recommence à chanter :

A pris son seau d'argent,
À l'eau s'en est allée :
Elle n'a vu venir
Trois chevaliers d'armée...

La femme se retourne vers moi. Elle tremble.

- Entendez-vous, me dit-elle, c'est mon mari... Il chante bien, n'est-ce pas ?

Je la regarde avec de grands yeux.

- Comment ? Votre mari ! Il va donc là-bas lui aussi ?

Alors, d'un air triste, mais avec une grande douceur, elle me répond :

- Qu'est-ce que vous voulez, monsieur, les hommes sont comme ça, ils n'aiment pas voir pleurer ; et moi, je pleure toujours depuis la mort des petites... Vous savez, c'est triste cette grande maison vide... Alors, quand il s'ennuie trop, mon pauvre José va boire en face, et comme il a une belle voix, l'Arlésienne le fait chanter. Chut !... Il recommence.

Et debout devant la fenêtre, elle écoute en pleurant son José qui chante pour l'Arlésienne :

Le premier lui dit :
« Bonjour, belle mignonne ! »

L'élixir du révérend père Gaucher

- Buvez ceci, mon voisin, vous m'en direz des nouvelles. Et, goutte à goutte, en les comptant, le curé me verse deux doigts d'une liqueur verte, brillante, chaude et exquise [1]. Le plaisir est total.

- C'est l'élixir du père Gaucher, la fierté et la santé de la Provence, me dit le curé, très fier. On le fabrique dans le couvent des Prémontrés, des moines* qui vivent à quelques kilomètres de votre moulin. Il est bon n'est-ce pas ? Il vaut bien une chartreuse. Si vous saviez l'histoire de cet élixir ! Elle est amusante... Écoutez plutôt.

Et, tout naturellement, le curé raconte cette histoire.

« Il y a vingt ans, les Prémontrés, des moines donc, ou pères blancs, comme disent les Provençaux, étaient tombés dans une misère extrême. La maison faisait peine à voir. Le grand mur et la tour étaient en ruines. Dans la cour, couverte d'herbes sauvages, les colonnes s'écroulaient. Pas une fenêtre n'avait ses vitres, pas une porte ne fermait.

Le vent du Rhône, le mistral, soufflait comme en Camargue : très fort. Et le plus triste était le clocher sans cloche. Les moines appelaient à la prière avec des cliquettes [2] en bois.

Pauvres pères blancs ! Je les revois avec leurs vieux vêtements qui marchent les uns derrière les autres, tristement, les jours de fêtes religieuses. Les dames de charité* pleurent et les riches pro-

---

1. Exquise : délicieuse.
2. Cliquettes : instrument installé sur la porte qui permettait de frapper avant d'entrer chez quelqu'un.

priétaires rient et se moquent de leur pauvreté. Les moines sont si désespérés qu'ils pensent se séparer. Or, le jour de cette grave décision, le frère Gaucher demande à parler.

Le frère Gaucher, d'habitude, garde les vaches. Orphelin et nourri par une vieille tante, il est arrivé chez les moines par protection. Il ne sait rien, sinon une prière, et encore : en provençal ! Mais il est pieux*.

Quand il arrive dans la salle, tout le monde a envie de rire. Avec sa barbe de chèvre et ses yeux fous, il salue respectueusement l'assemblée, mais il est ridicule.

- Mes frères, dit-il, j'ai trouvé la solution pour nous sortir de la pauvreté. Écoutez-moi :

"Ma vieille tante, qui chantait de très vilaines chansons, connaissait les herbes de la montagne. Elle savait comment faire un élixir extraordinaire. Elle mélangeait cinq ou six espèces d'herbes sauvages. Je pense que je peux retrouver ces herbes. Nous mettrons l'élixir en bouteille et nous le vendrons. Nous pouvons devenir riches."

Il n'a pas le temps de finir, on le félicite, on le congratule, on le remercie, on l'embrasse... Et on décide qu'il ne s'occupera plus des vaches. Un autre moine le remplacera, et lui, il préparera l'élixir. »

« L'histoire ne dit pas combien de nuits le frère Gaucher a cherché la recette, mais au bout de six mois, l'élixir est déjà très populaire. Dans tous les mas de la région, on possède une bouteille d'élixir.

Forts de ce succès [1], les moines s'enrichissent vite. Ils relèvent la tour. Ils s'achètent des vêtements neufs. L'église est joliment décorée. Et les cloches sont nombreuses à sonner les fêtes et les prières.

---

1. Succès : réussite.

Le frère Gaucher s'appelle bientôt le révérend père Gaucher, homme de savoir. Il passe toutes ses journées dans sa distillerie[1] pendant que trente autres moines cherchent, pour lui, les herbes odorantes dans la montagne. Personne n'a le droit d'entrer dans la distillerie. Elle est installée dans une ancienne chapelle, au fond du jardin.

Au coucher du soleil, la porte de la distillerie s'ouvre et le révérend père Gaucher se rend à l'église pour la prière du soir. Il faut voir l'accueil ! On le salue et on murmure :

– Il a le secret ! Chut !...

Le révérend marche toujours très vite et il a toujours très chaud. Il est heureux et se dit :

"C'est à moi qu'ils doivent cette richesse."

Il est un peu orgueilleux[2]. Le pauvre !

Personne n'a le droit d'entrer dans la distillerie.

1. Distillerie : endroit où le père Gaucher mélange les herbes avec de l'alcool pour préparer l'élixir.
2. Orgueilleux : fier de lui.

Il en a été bien puni. Vous allez voir...

Figurez-vous qu'un soir, pendant la prière, il arrive en retard, très agité, rouge et la robe de travers. On croit d'abord qu'il est désolé d'être en retard. Mais quand commencent ses salutations, quand il se précipite vers l'avant de l'église et marche comme s'il était perdu, on murmure :

– Qu'a donc le père Gaucher ? Qu'a donc le père Gaucher ?

Et, tout à coup, au milieu d'une prière, il chante très fort :

Dans Paris, il y a un père blanc,
patatin, patatan, tarabin, taraban...

Consternation [1] générale ! Tout le monde se lève et dit :

– Emportez-le... Il est possédé* !

Les moines font des signes* de croix. Le révérend père Gaucher ne voit rien. Deux moines le sortent de force par la petite porte.

Le lendemain, le révérend père Gaucher est consterné, mais le père principal le rassure :

– Allons, calmez-vous, ce n'est pas si grave. Mais dites-moi, comment cela vous est-il arrivé ? Avez-vous bu trop d'élixir ? Je comprends, vous êtes victime de votre découverte, mais est-ce vraiment utile de goûter ?

– Malheureusement oui, c'est indispensable pour le goût et la consistance.

– Et quand vous goûtez, prenez-vous du plaisir ?

– Hélas oui ! Et voilà deux soirs que je trouve cet élixir délicieux ! Mais c'est fini, je ne goûterai jamais plus cet élixir ! Tant pis, il sera moins bon...

– Ah non ! Il ne faut pas perdre notre réputation, ni perdre nos clients ! Faites attention ! Goûtez seule-

1. Consternation : surprise.

ment vingt gouttes ! Le diable ne vous attrapera pas avec vingt gouttes ! Et puis, restez faire la prière du soir dans votre distillerie et... comptez vos gouttes !

Le révérend père Gaucher compte ses gouttes, mais le diable l'attrape. Dans la distillerie, les prières sont bizarres. Le jour, tout va bien, mais le soir, il boit vingt gouttes, puis vingt et une, puis encore une et encore une... C'est délicieux. Il regrette de dépasser le compte, mais c'est si bon... Et il retrouve les vieilles chansons de sa tante.

Le lendemain, on lui dit :

– Vous avez beaucoup chanté hier soir...

Il a honte, mais le soir, il recommence.

Les commandes [1] sont nombreuses au couvent des moines qui ressemble à une petite usine. Tous les moines travaillent pour l'élixir.

Un dimanche matin, le révérend père Gaucher annonce qu'il arrête de fabriquer son élixir : il ne veut pas aller en enfer à cause de l'alcool ! Il veut reprendre ses vaches. Il a peur. Il boit de plus en plus : trois bouteilles par jour !

On l'excuse. On va prier pour lui. On l'assure qu'il ira au paradis pour la gloire du couvent et de son élixir...

Et, à partir de ce jour-là, chaque soir, pendant qu'on prie pour lui, on l'entend qui chante :

Dans Paris, il y a un père blanc,
Patatin, patapan, taraban, tarabin,
Patatin, patapan, taraban, tarabin,
Qui fait danser les moinettes
Trin, trin, trin dans un jardin,
Qui fait danser les...»

Ici le curé s'arrête :

– Si les gens du village m'entendaient !

---

1. Commandes : demandes faites par les acheteurs.

Mots et expressions

La Provence

Arles : capitale de la Provence.
Arlésienne, *f.* : femme d'Arles. Les Arlésiennes portaient autrefois un très joli costume.
Avignon : très vieille ville de Provence. Autrefois, comme à Rome, les papes vivaient en Avignon.
Camargue : région du sud de la Provence où le Rhône se jette dans la mer.
Cerises (à l'alcool), *f.* : fruits rouges. Pour les conserver, on les met dans l'alcool et on les sert comme une gourmandise, souvent à la fin du repas.
Chêne vert, *m.* : arbre des pays méditerranéens.
Cigale, *f.* : animal des pays du sud qui, dans les nuits chaudes, frotte ses ailes et donne ainsi un son caractéristique.
Farandole, *f.* : danse provençale.
Fifre, *m.* : petite flûte provençale.
Grelot, *m.* : petit instrument de musique qu'on accroche au cou des vaches et autres animaux pour entendre le troupeau.
Lavande, *f.* : herbe parfumée.
Mas, *m.* : ferme provençale.
Olivier, *m.* : arbre des pays méditerranéens. C'est avec son fruit qu'on fait de l'huile.
Pin, *m.* : arbre majestueux qui porte des aiguilles à la place des feuilles.
Tambourin, *m.* : petit instrument de musique qu'on frappe avec les mains et dont on se sert dans les farandoles.

La campagne

Âne, *m.* : animal voisin du cheval qui sert surtout à porter les paquets.
Auberge, *f.* : hôtel de campagne.
Bélier, *m.* : animal proche du mouton, qui donne aussi de la laine. Avec le lait de brebis, la femelle du bélier, on fait des fromages comme le roquefort.
Berger, *m.* : celui qui garde les troupeaux.
Bergerie, *f.* : l'hiver, on met les animaux dans les bergeries.
Charrette, *f.* : voiture très simple tirée par des chevaux ou des ânes, parfois par des hommes.
Chèvre, *f.* : animal qui grimpe dans les rochers et se nourrit d'herbes sèches. On fait des fromages avec son lait.
Corne, *f.* : les vaches, les moutons, les béliers sont des animaux qui ont des cornes sur la tête.
Dormir à la belle étoile : dormir en plein air, sans aucun abri.

Fourche, *f.* : grande fourchette à deux dents, en bois, dont se servent les paysans pour les travaux des champs.
Grenier, *m.* : pièce tout en haut de la maison.
Hibou, *m.* : oiseau de nuit. On dit qu'il porte bonheur mais aussi qu'il porte malheur.
Loup, *m.* : animal de la famille du chien, qui tue et mange les poules et peut aussi s'attaquer à l'homme.
Meunier, *m.* : personne qui travaille dans un moulin.
Moisson, *f.* : moment où l'on coupe le blé mûr.
Moulin, *m.* : endroit où l'on écrase les grains de blé pour en faire de la farine.
Mule, *f.* : de la famille de l'âne, ainsi que du mulet.
Noix, *f.* : petit fruit à l'écorce très dure. Il faut la casser pour manger l'intérieur (arbre : *noyer*).
Paille, *f.* : tige du blé quand il a été coupé.
Paon, *m.* : très bel oiseau qui ne vole pas et ouvre une queue immense et colorée.
Poulailler, *m.* : endroit où vivent les poulets, les canards, les dindes, les oies et les oiseaux qu'on élève pour manger et qu'on appelle la volaille.
Pré, *m.* : étendue plantée d'herbe qui sert aux animaux pour manger et se promener.
Rossignol, *m.* : oiseau qui chante d'une façon merveilleuse.
Sabot, *m.* : au bout de la patte du cheval... On appelle aussi sabots les chaussures en bois que portent les paysans.
Serpent, *m.* : animal rampant. Certains ne font pas de mal mais d'autres sont très dangereux.
Violette, *f.* : petite fleur violette et parfumée qui se cache sous l'herbe.

La religion

Abbé, *m.* : titre donné à un prêtre catholique.
Ange, *m.* : personnage de la religion catholique qui représente le bien.
Bigot, bigote : qui ne pense qu'à la religion.
Clocher, *m.* : tout en haut de l'église, là où sont accrochées les cloches qui sonnent les heures et appellent à la messe.
Confesser : dans la religion catholique, avant la communion, le fidèle raconte *(confesse)* au prêtre ses péchés et le prêtre lui donne l'absolution.
Couvent, *m.* : dans la religion catholique, endroit où vivent les hommes et les femmes qui ont tout abandonné pour l'amour et le service de la religion.
Croix, *f.* : bijou que porte les femmes.
Curé, *m.* : prêtre catholique qui dirige la paroisse, c'est-à-dire l'ensemble des fidèles qui fréquentent la même paroisse.
Dame de charité, *f.* : dame qui donne de l'argent aux pauvres et aux églises.
Diable, *m.* : personnage qui représente le mal.

Enfant de chœur, *m.* : qui aide le prêtre à dire la messe. N'importe quel enfant peut devenir enfant de chœur. Ce n'est ni un titre, ni un emploi, ni un grade.

Enfer, *m.* : lieu où vont vivre les méchants après la mort.

Livre de messe, *m.* : dans la religion catholique, le croyant suit la messe que dit le prêtre dans son livre de messe. Il y trouve l'évangile du jour.

Moine, *m.* : religieux qui a choisi de servir exclusivement Dieu et qui s'est retiré dans un couvent. À la différence des curés, ils ne vivent pas dans la société, ils ne sont pas responsables d'une paroisse ou d'une communauté de croyants. On les appelle *père* s'il s'agit d'un religieux qui a passé les examens les plus difficiles ou simplement *frère* s'ils viennent de rentrer au couvent.

Paradis, *m.* : lieu où vont après leur mort tous ceux qui ont fait le bien pendant leur vie.

Péché, *m.* : faute contre Dieu et contre la morale.

Pieux, pieuse : personne qui est proche de la religion.

Possédé (du démon) : on croyait que le diable, ou démon, entrait dans certains corps. Pendant longtemps, on a cru que les fous étaient possédés par le démon.

Purgatoire, *m.* : lieu où vont après leur mort ceux qui n'étaient ni très bons, ni très méchants, en attendant d'aller en enfer ou au paradis.

Réveillon, *m.* : fête et festin qui ont lieu à minuit, dans la nuit du 24 au 25 décembre, au jour et à l'heure où est né Jésus-Christ.

Sainteté, *f.* : qualité d'une personne sainte qui n'a commis aucune mauvaise action.

Sermon, *m.* : discours que le prêtre fait à la messe et qui lui est personnel. Ne fait pas partie du rituel de la messe.

Signe (de croix), *m.* : geste par lequel les chrétiens rappellent la croix de Jésus-Christ. Quand les gens ont peur ou sont émus, ils ont coutume de *se signer*, de faire un signe de croix, pour écarter le malheur.

Imprimé en France par I.M.E. - 25110 Baume-les-Dames
Dépôt légal n° 02357-05/2000
Collection n° 04 - Édition n° 05
15/4946/8